U0270415

N文库

Inagaki
Hidehiro

稻垣荣洋
科学散文集

树懒为什么懒？
生物的个性
与奇妙的进化

[日] 稻垣荣洋/著

[日] 安贺裕子/绘

杨柳岸/译

贵州出版集团

贵州人民出版社

NAMAKEMONOHA, NAZE NAMAKERUNOKA? —IKIMONONO KOSEI TO SHINKA NO FUSHIGI

by Hidehiro Inagaki

Illustrated by Yuko Yasuga

Copyright © Hidehiro Inagaki, 2023

All rights reserved.

Original Japanese edition published by Chikumashobo Ltd.

Simplified Chinese translation copyright © 2025 by Light Reading Culture Media (Beijing) Co., Ltd.

This Simplified Chinese edition published by arrangement with Chikumashobo Ltd., Tokyo, through Tuttle-Mori Agency, Inc.

著作权合同登记号 图字：22-2024-136 号

图书在版编目（CIP）数据

树懒为什么懒？生物的个性与奇妙的进化 : 稻垣
荣洋科学散文集 / (日) 稻垣荣洋著；(日) 安贺裕子绘；
杨柳岸译. -- 贵阳 : 贵州人民出版社, 2025. 1.
(N 文库) -- ISBN 978-7-221-18805-2

Ⅰ. Q959.83-49

中国国家版本馆 CIP 数据核字第 2024NP1571 号

SHULAN WEISHENME LAN? SHENGWUDE GEXING YU QIMIAODE JINHUA
(DAOYUANRONGYANG KEXUE SANWENJI)

树懒为什么懒？生物的个性与奇妙的进化（稻垣荣洋科学散文集）

[日] 稻垣荣洋 / 著
[日] 安贺裕子 / 绘
杨柳岸 / 译

| 选题策划 | 轻读文库 | 出 版 人 | 朱文迅 |
| 责任编辑 | 欧杨雅兰 | 特约编辑 | 张宝荷 |

出 版	贵州出版集团 贵州人民出版社
地 址	贵州省贵阳市观山湖区会展东路 SOHO 办公区 A 座
发 行	轻读文化传媒（北京）有限公司
印 刷	天津联城印刷有限公司
版 次	2025 年 1 月第 1 版
印 次	2025 年 1 月第 1 次印刷
开 本	730 毫米 × 940 毫米 1/32
印 张	3.625
字 数	70 千字
书 号	ISBN 978-7-221-18805-2
定 价	25.00 元

关注轻读

客服咨询

目录

前言

在这个世界上，有很多我们觉得很无聊的生物。所谓"无聊"，是"无关紧要"或"无趣"的意思。

例如，蜗牛就很"无聊"。蜗牛行动缓慢，外表也很难说得上酷，真的是无聊的生物。但是……我所在大学的标志居然是蜗牛。有那么多看上去更强或更酷的生物，为什么偏偏选了蜗牛呢？据说这是想表达做学问不是一蹴而就的事，而是缓慢、稳步扎实的过程。蜗牛爬过后还会留下一条闪亮的痕迹，于是也寓意着"为后人开辟道路"。

换个角度看，即使是像蜗牛这样无聊的生物，也能有很棒的解读。例如，被誉为日本民俗学之父的柳田国男因研究日本方言中有关蜗牛的表达而闻名。他也用蜗牛比喻学习的过程："如果不崭露头角，就看不到未来，也就无法朝着光明的未来前进。做人应崭露头角，做学问也是一样。"在他眼中，蜗牛在展望未来的同时稳步前行。此外，提出非暴力主义、带领印度迈向独立的圣雄甘地也留下了"善，总是以蜗牛的速度前进"这一句名言。不是越快就越好，蜗牛并非"无聊"的生物。

仔细想想，蜗牛其实是很厉害的生物。蜗牛曾是栖息在海洋里的贝类的同类，却从海洋成功进军陆地。在脊椎动物的进化过程中，鱼类进化为两栖动物。从水下进军陆地具有里程碑的意义且并非易事。

毕竟，要想从水下转到陆地生活，必须克服几个难题。首先，水是有浮力的，在陆地上就必须支撑起自身的重量。于是，脊椎动物必须进化出强韧的骨骼。其次，在陆地上的移动方式不同。如果浮在水面，只需很小的力量就能移动，而在陆地上只能依靠自身的力量移动。脊椎动物便需要将鳍进化成脚。还有呼吸的问题，要想在陆地上生活，必须用一个新的呼吸系统来替代腮。通过将用来调节浮力的鱼鳔进化为肺，脊椎动物克服了这一难题。对脊椎动物而言，进军陆地必须战胜重重挑战。

但是……蜗牛本是贝类一族，却成功登陆并掌握了肺呼吸。蜗牛究竟是如何实现进化的呢？这仍是个未解之谜，但蜗牛完成了自身惊人的进化。

蜗牛很厉害。在这个世界上，还有许多乍一看很无聊的生物，它们也会有什么厉害之处吗？在这本书里，我想要好好介绍一下这些"无聊"的生物。

Chapter
01
"丑陋"的
生物

蛞蝓

虽说蜗牛是"无聊"的生物，但蜗牛会被画成可爱的插图或设计成吉祥物，也算是受人喜爱的人气王。蛞蝓则是被嫌弃的生物，应该没人见过可爱的蛞蝓插画或吉祥物吧。何止如此，一旦被发现，蛞蝓还会被人们撒上盐，这就是它的宿命。

多么无聊的生物啊，为什么要存在呢？不过，明明只是少了个壳，为什么蛞蝓会被这般嫌弃呢？有壳的蜗牛和无壳的蛞蝓，究竟谁的进化程度更高？

我们脊椎动物体内有坚硬的骨头，昆虫和蟹类等生物则在体外覆盖着坚硬的外壳。贝类是身体柔软的软体动物，因此也必须用贝壳来保护身体。不过，部分软体动物在进化过程中褪去了外壳。例如，鱿鱼和章鱼曾是恐龙时期的海洋生物菊石的同类，拥有螺一般的外壳，却在进化过程中渐渐褪去了外壳，从而实现自由快速的游动并隐藏在岩石背后。一般而言，失去外壳被称为"退化"，但退化也可能是进化。例如，人类退化掉了古猿阶段的尾巴。丢弃不必要的东西，也是一种进化。

那蛞蝓是怎么一回事呢？蛞蝓也退化掉了壳。也就是说，相较于蜗牛，无壳的蛞蝓是进化程度更高的形态。对蜗牛而言，壳是用以藏身的重要构造，但为了长出外壳，需要消耗许多能量，还得主动摄取碳酸钙。蜗牛的祖先栖息在海中，海水富含碳酸钙，但在陆地上获取碳酸钙并不容易。因此，雨后的水泥墙上常有许多蜗牛，通过啃食墙体摄取碳酸钙形成外壳。

生长外壳并非易事。于是，没有外壳的蛞蝓便能省去能量、快速成长，还能进入狭小的空间来保护自己。灵活的蛞蝓会从微小的缝隙潜入家中，这也是蛞蝓被嫌弃的原因吧。而且，由于没有摄取碳酸钙的必要，蛞蝓可以摄取各种各样的食物，在任何场所都能生存。舍弃了外壳，便拥有了自由。

既然有这么多好处，为什么蜗牛不褪去外壳呢？外壳有时很碍事，但有时也很便利。例如，在防御捕食者时，蜗牛不用寻找狭小的角落，在开阔的地方也能保护自己。蜗牛的外壳也能防止身体干燥。无壳的蛞蝓只能栖息在潮湿之处，蜗牛却可以栖息在相对干燥的地方。

对比蜗牛与蛞蝓，蛞蝓似乎是更高级的进化形态。但是，蜗牛有蜗牛的优点，蛞蝓有蛞蝓的强项。正因如此，蜗牛和蛞蝓都在自然界中存在着。无论是有壳的蜗牛，还是无壳的蛞蝓，保持原样就好啦。

蛇

蛇是令人讨厌的家伙,很多人都怕蛇。有人说,人类天生就怕蛇,真是如此吗?不管怎样,没有四肢、弯曲扭动着身子、一点点靠近的蛇,对人类而言实在是不可思议且恐怖至极的存在。蛇,果然是被讨厌的家伙。为什么这么讨厌的生物会存在呀?

和之后会介绍的龟类一样,人们在恐龙时代末期的地质层发现了蛇的祖先。也就是说,蛇和龟一样扛过了导致恐龙灭绝的地球环境变化。可从化石来看,蛇的祖先似乎有后肢。看来,蛇是退化了后肢,才变成了如今的样子。日语里有句话叫"手脚都伸不出来",意思是束手无策,而蛇可是真是没手也没脚。

说起来,没有四肢的蛇是如何移动的呢?蛇扭动身体、向前爬行,这就是"蛇行"。蛇腹部的凸起用于抓地、防止打滑,就像滑雪板刃一样。随后,蛇再将身体向前推挤。重复这一过程,便是蜿蜒前进的"蛇行"。

不过,要想实现蛇行需要非常巧妙地移动身体。一旦被发现,蛇就会以惊人的速度逃进草丛,快速完成一系列复杂的动作。相比掌握这么多复杂的动作,像蜥蜴等动物一样用四肢移动说不定还简单许多呢。

那蛇为什么没有四肢呢?原因尚不明确。不过,最普遍的观点认为蛇曾经生活在地下,为了在土壤和洞穴中移动，便退化了四肢。不管怎么说，蛇并不是天生就没有四肢，而是因为碍事舍弃了它们。蛇是以独特的风格完成了先进进化的生物。

人们有时会因将路上的绳子错认为蛇而被吓得不轻。蛇的外形太过特殊，以至于我们看到细长的东西就很容易联想到它们。蛇标志性的外形正是去繁化简、精练简洁的设计。

有人说人类本能地害怕蛇，即使没见过蛇的婴儿也对蛇充满恐惧。还有人说，蛇虽然没有四肢，但能爬树。在人类还是猿类的时代，会爬到树上的天敌只有蛇，这便是人类怕蛇的原因。蛇没有四肢，却拥有了无限存在感。

所以呀，没手没脚的蛇也是，保持原样就好啦。

信天翁

这只鸟在日语里叫"阿呆"（アホウ）。在日本关西地区，"阿呆"是用来表达某人某事有点儿傻、较温和一些的说法，被用在"阿呆子"或是"厉害呆了"等词汇或短语中。"傻瓜"（バカ）则不太常用，是关西人真想侮辱对方时才使用的。"傻瓜"一词在关东地区则更常见，人们会很随意地说"像个傻瓜似的"，或用"厉害傻了"表示夸奖。与关西相反，在关东，因为不太使用"阿呆"一词，所以"阿呆"才是侮辱人的话。

信天翁的名字又是怎么一回事呢？在日本，除了叫"阿呆"，它还叫"傻瓜鸟"。所以无论如何，信天翁都是傻瓜。为什么会起这样的名字呀，傻瓜一样的生物为什么要存在？

高尔夫是一项比拼谁以最少杆数将球击入球洞的运动。球场会提供将球打入球洞的杆数基准。例如，熟练球手能以四杆将球打入洞中的球道叫"四杆洞"。如果四杆进洞，就打出了"标准杆"。如果比标准杆少一杆就进洞，叫"小鸟球"。在极少数情况下，会比标准杆数少两杆进洞，这被称为"老鹰球"。老鹰拥有比小鸟更强的飞行能力，所以被用来命名更出色的成绩。

在更少见的情况下，选手会以比标准杆数少三杆的成绩击球进洞。如果想在四杆洞的球道取得这样的成绩（一杆进洞）是不可能的。但是，对被称为"长球场"的五杆洞来说，要想打出标准杆，可以用三杆打到果岭，再以两击使球入洞。如果击球极远，也可能一杆击到果岭。随后，如果能在第二杆时让球直接进洞，就是少三杆的成绩。而这非常困难，即使专业的高尔夫选手也很难做到。

就算在三杆洞的球道打出了一杆入洞，也只比标准杆少两杆。少三杆入洞可比一杆入洞难多了。要想打出少三杆的成绩，前提条件是首先将球击到相当远的地方。这种奇迹般的情况，会以哪种鸟儿来命名呢？老鹰比小鸟厉害，也就是说，应该用比老鹰还厉害的鸟类来命名。如果是你，你会选择哪种鸟呢？

令人惊讶的是，比标准杆少三杆进洞的成绩叫"信天翁球"。信天翁被用来命名高尔夫球赛中的最高水平。为什么信天翁会是比老鹰还厉害的鸟类呢？实际上，信天翁拥有极强的飞行能力。

信天翁能出色地把握风向和利用风力，张开宽大的翅膀，像滑翔机一般灵巧地驭风前行，利用风力实现远距离飞行。因为能飞到很远的地方，所以比老鹰球更难的成绩被命名为"信天翁球"。

据说信天翁能不眠不休、持续飞行1万多千米，真是厉害。但问题来了，这么厉害的鸟儿为什么会被叫作"阿呆"呢？实际上，信天翁也有缺点。信天翁具有高超的飞行能力，为了提高飞行性能，进行了高度而复杂的进化。不过，也出于这个缘故，信天翁不擅长飞行以外的事情。信天翁擅长飞行，却连顺利着陆都做不好。与

其说是着陆，不如说是摔到了地上；也不擅长在地面行走，因此很容易被人类抓住，这就是叫"阿呆"的来由。

如果目睹过信天翁优雅的空中滑行，便不会给它起"阿呆"这种名字了吧。人类往往在不了解一个生物真正厉害之处的情况下，就仅从眼前所见的一角给它们命了名。

所以呀，不管被叫作什么，信天翁也是保持原样就好。

猪

如果被叫作"猪"，没有人会高兴吧。"猪"是脏话，在人们的印象里，猪又脏又胖，很少有比"你这头猪"更侮辱人的说法了。岂止如此，单是一句"猪！"就极具杀伤力。为什么这样被人瞧不起的生物会存在呀？

猪很胖？并非如此。猪的体脂率约为15%，与较瘦的男性相当。女性的体脂率一般高于男性，所以猪的体脂率其实比瘦削苗条的女模特还要低。与狗和猫相比，猪的体脂率也是更低的。

猪也比我们想象的要更加健壮，能以40千米的时速奔跑，即在9秒内跑完100米，比人类100米跑的世界纪录还要快。所以，"猪很胖"这样的话完全是无稽之谈。"你这头猪"其实是在夸对方"像猪一样苗条"才对吧。

另外，猪是爱干净的动物，尤其不会将进食、排泄和睡觉的地方混用。一旦选定了排泄场所，就不会改变，这样就不会弄脏进食和睡觉的地方。如果养猪场成了脏乱差的地方，那不是猪的错，而是人类的问题。

不仅如此，猪也是非常聪明的动物。研究发现，猪的大脑很发达，相当于三岁小孩的智力水平。猪的智商比狗和海豚还要高，和黑猩猩接近，真是厉害呀。

猪是很棒的生物。因为看起来胖胖的，猪在许多国家都是财富和好运的象征。说起来，许多存钱罐也都是猪的样子，象征着财富的积累。

"你这头猪"只能是溢美之词了。所以呀，被人瞧不起的猪，也是保持原样就好。

蚯蚓

不知为何，蚯蚓看上去很恶心。没有足部，也不知道头在哪里，只是蠕动着身体爬来爬去。在日本童谣《手掌心中的太阳》里，有这样一句歌词："哪怕是蚯蚓、蝼蚁，还有水龟也一样，我们大家都生活着，都是好朋友。"意思是蚯蚓是和我们一样一同生活在这颗星球上的生命。但是，仔细想想"哪怕"一词，就会发现蚯蚓是相当不受重视的存在。为什么这么没有存在感的生物会存在呀？

著有《物种起源》的生物学家查尔斯·达尔文对蚯蚓进行了长达四十年的研究，得出以下结论："蚯蚓在世界历史上发挥了远超人类想象的重要作用。"

蚯蚓食用土壤中的有机物，再将有机物分解通过粪便排出。生态系统中，肉食动物吃草食动物，草食动物吃植物。例如，在非洲的热带稀树草原上，狮子吃斑马，斑马吃草。就在我们身边，蜘蛛和鸟类吃螳螂，螳螂吃蝗虫，蝗虫吃植物。生态系统在吃与被吃关系的基础上构建起来。但是，斑马、狮子、蝗虫和螳螂最终都会死亡，植物也是。动物尸体和植物残体被各种各样的生物分解为有机物，蚯蚓再进一步分解这些有机物。

你可能会认为，蚯蚓在分解有机物的过程中增加了土壤的肥力。没错，不过不仅如此。与石头和沙粒不同，土壤给人温暖而柔软的感觉，这是因为土壤由生物的身体分解后的有机物构成。也就是说，蚯蚓在土壤的形成过程中起到了重要作用，从而使植物茁壮成长，而植物又成为草食动物的食物，依次类推，形成吃与被吃的食物链。

如果没有蚯蚓，食物链就无法运转与循环。蚯蚓是连接生物的纽带，因此也被称为确保生态系统正常循环运转的"生态系统工程师"。

蚯蚓的英文名叫earthworm，直译就是"地球之虫""土壤之虫"的意思。蚯蚓耕耘土壤，守护着我们的地球。扭来扭去的小蚯蚓，也是保持原样就好。

毛毛虫

我讨厌毛毛虫，那肉嘟嘟的感觉，实在是太恶心了。而且它们总是慢悠悠地爬行，也不知道逃跑，一不小心就会踩到。

为什么这个世界上会有毛毛虫啊？毛毛虫是蝴蝶和蛾类的幼虫，蝴蝶很美，毛毛虫却是丑陋的。如果是蝴蝶的孩子的话，长成小蝴蝶的样子不是更好吗？为什么如此丑陋的生物会存在呀？

昆虫都有翅膀和六条腿。所以，有八条腿且没有翅膀的蜘蛛并不属于昆虫。毛毛虫也没有翅膀，并且看上去有很多条腿。但实际上，毛毛虫也只有六条腿，另外的是叫作"腹足"的身体器官。只是腹足也用于爬行、抓住树枝，实际上起到的也是腿的作用。

毛毛虫是蝴蝶和蛾类的幼虫。但是，比起优雅飞舞的蝴蝶和蛾类，爬来爬去的毛毛虫看上去太过不同。和毛毛虫一样，成虫和幼虫形态差异很大的昆虫有很多。明明是同一种生物，为什么看起来如此不同呢？

昆虫在成虫和幼虫阶段承担着不同的任务。成虫靠翅膀移动，探索新领域、扩大分布范围。因为拥有翅膀，也更有可能遇见同种类的其他昆虫。如此一来，雌性成虫和雄性成虫相遇、繁衍后代。相反，毛毛虫连爬快些都做不到，更别提飞行了。不过，这也是因为幼虫并没有"相亲"的必要。

那么，幼虫的任务是什么呢？除了吃树叶，毛毛虫好像什么也不会做。但昆虫在幼虫阶段的任务就是好好长大、成长为成虫。生物自身拥有生长的能力，不需要做太多也能成长。幼虫阶段是昆虫成长的关键时期，幼虫时期摄入的食物对昆虫的发育有很大影响。食物充足的幼虫能成为体形很大的成虫；食物不足则无法充分成长。所以，毛毛虫日复一日地持续进食。

不久后，毛毛虫变成了蛹。蛹几乎一动不动，也不进食。从外观来看，蛹没有任何变化。但在蛹的内部，从幼虫到成虫的重大蜕变正在发生。

对蝴蝶来说，毛毛虫也好，蛹也罢，都是生命中不可或缺的重要阶段，也都有各自独特的意义。对毛毛虫来说，没必要早早变成蝴蝶，做好毛毛虫就好；在之后的阶段，再扮演好相应的角色。

昆虫的幼虫和成虫是全然不同的存在。成虫并非大一号的幼虫，幼虫也不是缩小版的成虫。所以呢，即使不似蝴蝶那般美丽，毛毛虫也是保持原样就好哟。

Chapter
02
"迟钝"的
生物

西瓜虫

在孩子们眼中，西瓜虫是熟悉的生物。只要戳一下，西瓜虫就会蜷成一团，因此也叫"丸子虫"或"球虫"。蜷缩成一个漂亮球体的西瓜虫很容易被抓住，还能咕噜咕噜地滚动起来，所以成了很适合孩子们的玩具。有时，孩子们甚至会将几只西瓜虫一起滚着玩儿。为什么如此笨拙的生物会存在呀？

很久很久以前，那是比恐龙时代更早以前的事了。在5亿多年前的古生代时期，地球上各种各样的生物完成了显著的进化，生物种呈指数型增长，这一现象被称为"寒武纪生命大爆发"。但许多在这一时期繁荣发展的生物在古生代末期（约2亿5100万年前）却突然消失了，这就是"二叠纪末生命大灭绝"事件。这次大灭绝的规模超过了使恐龙灭绝的白垩纪末期大灭绝，地球上约有90%的生物种消失。究竟发生了什么？

二叠纪末生命大灭绝的原因至今仍是个谜。一种观点认为是大规模的火山喷发所致，也有假说认为可能是因为小行星撞击地球，就像恐龙灭绝时那样。

古生代的海洋中，最活跃的一种生物是三叶虫。遗憾的是，三叶虫也在这次大灭绝中永远地消失了。但是，有一种三叶虫的近亲仍然生活在我们身边，那就是西瓜虫。人们普遍认为，西瓜虫由三叶虫的同类进化而来。这么说来，西瓜虫和三叶虫的外观的确十分相似。而西瓜虫克服了导致无数生物灭绝的二叠纪末大灭绝和连恐龙都未能存活的白垩纪大灭绝，跨越地球漫长的历史，幸存至今。

西瓜虫实在是高度进化的虫子。毕竟，三叶虫一直生活在海洋，西瓜虫却成功进军了陆地。西瓜虫和三叶虫都是甲壳类动物，即蟹和虾的同类。蟹和虾如今大多生活在水中或是水边。甲壳类动物之中，只有极少数生物像西瓜虫一般适应了陆地生活。

人类从鱼类进化为两栖类，再进化为爬行动物，最终进化成哺乳动物。但在从鱼类进化为两栖类、适应陆地生活的过程中，需要经历从海洋到河流，再从河流到湿地，最终实现登陆的过渡。因此，青蛙和山椒鱼等两栖动物一般生活在淡水环境中。昆虫也由在淡水、湿地环境中生活的节肢动物成功登陆后进化而来。因此，今天在地球上繁衍生息的昆虫数不胜数，却几乎没有生活在海洋中的昆虫。

总之，脊椎动物和昆虫都是先适应了河流、湿地等淡水环境才迁徙到陆地上的。从大海到陆地的迁徙是一个漫长且艰难的过程。西瓜虫却直接实现了海洋到陆

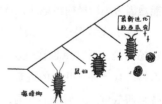

地的过渡。海蟑螂和鼠妇也是西瓜虫的近亲，海蟑螂生活在浪花飞溅的岩石海滩，鼠妇以陆地上的潮湿环境为栖息地。海蟑螂进化为鼠妇，西瓜虫则由鼠妇进化而来，进一步适应了陆地上的干燥地带。

西瓜虫蜷成一团，不仅能躲避敌人的侵害，还能防止身体干燥。西瓜虫背上的硬甲壳也是为了防止水分蒸发而进化出来的。

西瓜虫是经过5亿年进化的最新形态。所以呀，蜷成一团的西瓜虫，也是保持原样就好哟。

树懒

在日本，树懒名叫"懒汉"。树懒几乎一动不动，整天尽知道睡觉，就算偶尔动一下也是慢动作。进食时，先是看起来很费劲地缓慢移动，再慢悠悠地吃下去。的确是个懒惰的家伙呀，为什么如此愚钝的生物会存在呢？

说起来，为什么必须快速行动呢？有时，快速行动只是白白浪费能量而已。比如，老鼠动作敏捷，但也因此必须不断寻找食物来补充能量。那树懒呢？因为几乎不怎么消耗能量，树懒只用吃一点东西就行。树懒以植物的叶子为食。叶子的营养成分很少，要想靠叶子来获取能量和营养，就必须

大量食用。因此，草原上的牛和马需要吃大量的草。而树懒只需少量树叶，一次只吃几克，进食频率也很低，食量大概只是牛的千分之一，可以说是一种非常节能的活法。不仅如此，无论天气冷暖，人体体温都在36度左右，而维持体温也会消耗能量。但树懒无须维持体温，因此也节省了能量。

不过，动物快速行动也是为了逃离天敌。树懒生活在中美洲和南美洲，那里也居住着美洲狮和美洲虎

等猛兽。这不要紧吗？一旦察觉到肉食动物的存在，大多数动物便会一溜烟儿地逃走。因此，肉食动物的眼睛对移动中的对象十分敏感，以便追赶在逃的猎物。树丛中一动不动的树懒反而不易被察觉。而且，据说因为树懒太不爱动了，以至于身上长出了绿色的苔藓。苔藓可以用于伪装，使树懒更难被敌人发现，真是太厉害了。这么一来，树懒成功地保护了自己。

数万年前，名为大地懒的巨型树懒称霸地球。大地懒身长约6至8米，重达3吨，可谓庞然大物，在当时无疑是超强的哺乳动物。当然，大地懒不是懒惰的家伙，想必也需要摄入大量食物以支持庞大的身体和频繁的活动。然而，强大的大地懒灭绝了，行动缓慢的树懒幸存了下来。在进化中幸存的就是胜者。如果是这样的话，迟钝的树懒获胜了。

"慢"正是树懒获得最终胜利的秘诀。如果想要快速行动，树懒恐怕早已灭绝了吧。悠闲的树懒是非常优秀的生物。所以呀，只知道睡觉的树懒也是保持原样就好。

懒猴

懒猴的食物是昆虫。以昆虫为食的动物很不容易，要想抓住快速移动的昆虫，必须以相当快的速度出击。而昆虫也不想被抓住，不断通过进化以实现更快速的移动，动物又因此进一步提升速度。真是一场没有终点的竞速赛。最终，快速移动的昆虫和快速移动的动物共同实现了进化。然而，以昆虫为食的懒猴却正如其名、行动缓慢。为什么如此不可思议的动物会存在呀？

为了捕捉昆虫，必须快速行动，但速度的提升也是有限度的。所以，懒猴有了这样的策略："放慢速度，以至于看不出我在移动。"昆虫必须迅速逃离敌人，因此对快速移动的东西非常敏感。无论多么迅速地袭击昆虫，它们往往都能及

时察觉并逃脱。但在另一方面，昆虫对于静止事物的反应非常迟钝。因此，如果慢悠悠地接近昆虫的话，便可以不被察觉。

以"慢"制"快"，无疑是逆向思维。"慢"正是懒猴的武器。

这使我想起了日本职业棒球联盟横滨DeNA湾星

队的投手三浦大辅。在全明星比赛的舞台，万里挑一的选手齐聚一堂。三浦的对手是后来加入美国职棒的大谷翔平。大谷能投出时速超过160千米的快速球，是日本棒球界最快的速度。在投手之外，大谷也是一名强有力的击球手。大家都屏住了呼吸：迎战强劲击球手大谷的三浦会投出怎样的球呢？

三浦投出的是远低于职棒比赛中常见球速的超慢速球。既然球速无法超过大谷，那就投出一记最慢的球。凭借这颗慢速球，三浦巧妙地扰乱了大谷的节奏。并非只有最快的球才能获胜，最慢的球也可以不输给任何人。当然，投出超慢速球也很不容易。为了这场对战，三浦进行了大量的练习。

动作缓慢还有一个好处，那就是不容易被肉食动物发现。不过，一旦被发现，故事就结束了，因为懒猴无法逃脱。当然，懒猴也为此做好了充分的准备。懒猴通过肘部内侧的毒腺避敌防身，毒腺分泌出的毒素与唾液混合时还会更有威力。普通生物往往都不太显眼，通过保护色等方式隐入环境中来保护自己；箭毒蛙和毛毛虫等有毒的生物却有着醒目的颜色，以显示自身存在、避免天敌误食。懒猴脸部的花纹也是彰显自身带毒的方式。

对懒猴而言，慢即是武器。不输给任何生物的"迟钝"，正是胜过所有生物的"强大"。在其他生物为了竞速而不断进化时，懒猴的武器便越显优势。并不是所有事情都是越快越好，在这个世界上，也不是只比拼速度就行了。所以呀，动作缓慢的懒猴，也是保持原样就好哟。

龟

　　乌龟也是迟钝的生物。日本童谣《龟兔赛跑》这样唱道："乌龟呀乌龟，世界上可没有比你更慢的了，为什么你会这么慢呢？"同属爬行动物的蜥蜴可以快速移动，乌龟却为什么如此迟缓，为什么没有进化出快速移动的能力呢？为什么这么迟钝的生物会存在呀？

　　乌龟行动缓慢是有原因的。乌龟背着与身体一体化的甲壳，无法快速移动。不过，为什么一定要快速移动呢？动物快速移动是为了逃脱天敌，乌龟却有甲壳来防身。乌龟应该会感到奇怪吧："为什么其他生物都要那么着急地逃跑呀？"

　　仔细想想，龟壳的确是一个不可思议的存在。贝类和蜗牛等生物靠外壳来保护自己，无法生长出外壳的寄居蟹还会主动寻找螺壳钻进去。但乌龟和我们人类一样，属于脊椎动物。龟壳是如何形成的呢？它是乌龟的皮肤吗，还是骨头呢？犰狳等生物会使背部的皮肤硬化，形成盔甲来保护自己。过去很长一段时间内，人们都不清楚龟壳是如何形成的。不过这个谜题在今天已经解开，

龟壳来源于乌龟的骨头。

乌龟发育肋骨、生长出甲壳。通过观察乌龟祖先物种的化石，人们发现甲壳最先在乌龟祖先的腹部发育，随后才生长到了背部。为什么腹部最先变硬？原因尚不清楚。

不过，乌龟的祖先自恐龙时代就存在，并在称霸地球的恐龙灭绝后仍然幸存了下来。

乌龟也是相当厉害的生物呀。所以，缓慢爬行的乌龟，也是保持原样就好呀。

几维鸟

世界上有很多不能飞的鸟。虽然不会飞，却拥有其他各式各样的能力。例如，企鹅能快速游泳，鸵鸟能迈着有力的步伐在大地上奔跑。那，几维鸟呢？

几维鸟是没有翅膀、不会飞行的鸟类。几维鸟的翅膀几乎完全退化，只留下羽毛下极其微小、没有实际作用的翅骨。几维鸟也不能像企鹅一样游泳，或像鸵鸟那般奔跑，只会在地面上走来走去。几维鸟的外观酷似奇异果，两者也有着同样的英文名。像水果般又圆又胖，这就是几维鸟。为什么这么奇怪的生物会存在呀？

鸟类由小型恐龙进化而来。陆地被霸王龙等大型恐龙霸占，小型恐龙完全没有胜算。于是，小型恐龙开始在高大的树木上栖息，这样便不用和大型恐龙竞争，也增加了存活的概率。随后，在林间移动跳跃的过程中，小型恐龙逐渐进化出了便于移动的翅膀；再往后，拥有了在长空中自由飞翔的翅膀，这便是现代鸟类的前身。

但几维鸟是不会飞的鸟。不过，为什么鸟类就一定得会飞呢？对鸟类来说，飞行其实是需要消耗大量能量的行为。即使有车辆靠近，道路上的乌鸦也不会立即起飞，而是先试着上蹿下跳地逃走。公园里的鸽子也是如此，纵使被追赶，也是尽可能先跳着逃走再起飞。飞行会消耗能量，如果可以不飞，鸟类就会尽力避免飞行。

不过，飞行也利于躲避天敌。鸟类的翅膀本就是为了避开大型恐龙才进化出来的，现在也用于保护自身免受肉食动物等捕食者的侵害。除此之外，如果有了翅膀，还能去很远的地方。但是，如果有一个无须躲避天敌，也无须移动的地方，就没有飞行的必要了。

几维鸟便生活在这样的乐园中，即远离大陆、没有大型哺乳动物的新西兰。在这里，几乎没有袭击几维鸟的肉食动物，也没有食物竞争者。因此，几维鸟舍弃了不再必要的翅膀和飞行的能力。

如果不飞也行，那就不飞了，就是这么简单。并非是鸟就得拥有翅膀，也没有鸟类必须会飞的规定。不仅如此，几维鸟也没有像企鹅或鸵鸟那样通过游泳或奔跑来觅食的必要。那几维鸟将多余的能量用来干什么了呢？

几维鸟的蛋非常大。当然，单论大小，还是不及鸵鸟蛋。但就蛋和雌鸟体形的相对大小而言，在全世界的鸟类中，几维鸟蛋是最大的，约为雌鸟体形的20%。对所有生物而言，最重要

的事就是留下后代、繁衍生息。作为生物，几维鸟在投资最重要的事情。体积大的蛋能孵化出更大的雏鸟，比小型雏鸟的存活率更高。

并不是鸟类就一定得会飞，这只不过是人类擅自划定的条条框框罢了。即使是鸟，没有必要飞，就可以不飞。除了飞行，或许还有更重要的事情。这就是"无翼鸟"几维鸟的生存之道。

所以呢，没有翅膀的几维鸟，也是保持原样就好哟。

豆芽

在日本，皮肤白皙、身材瘦弱的孩子会被称为"豆芽儿菜"。的确，豆芽是白色的，细细长长地生长着，实在有种弱不禁风的感觉。豆芽是豆类植物的幼苗。绿豆和大豆等豆类发芽形成豆芽，在市场上售卖。豆芽生长在阳光照射不到的地方，因而纤弱且细长。为什么如此弱小的生物会存在呀？

但豆芽绝不弱小，甚至体现了植物强大的生命力。双子叶植物发芽时，短小的茎上会展开两片子叶。但豆芽只伸长茎部，不展开子叶。对植物的萌芽而言，这是非常不自然的形态。

豆芽通常在没有阳光的地方生长，于是以为自己仍在地下生长、尚未到达地面。也就是说，豆芽是植物在地下生长的形态。豆芽以为自己还在土壤中，所以紧闭着子叶；为了到达地面，不断伸长茎部。如果在

阳光下生长，是没有必要长出这么长的茎的。但为了拱出地面、沐浴阳光，茎的生长优先于一切。这就是豆芽茎部很长的原因。

豆芽耷拉着两片子叶，就好像在低着头，这也是

豆芽在泥土中生长的形态。如果笔直地向上生长，重要的子叶就会被泥土或石头挫伤。孩子们玩挤馒头[1]游戏时，会用后背互相推挤。乘坐满员电车时，人们也是蜷着背挤在人群中。同理，豆芽也用弯曲的茎推挤土壤以不断向上生长。

众所周知，豆芽是最容易坏掉的蔬菜之一。这是因为即使切掉根部、装进保鲜袋里放进冰箱，豆芽也会努力寻找阳光、继续生长。

豆芽定格着植物蓬勃生长的瞬间。但没有阳光就无法进行光合作用，小小的豆芽从哪里获取那么多的营养呢？豆芽用于生长的能量全部来源于种子。不仅是豆芽，所有植物的种子里都蕴含着发芽所需的能量。例如，我们吃的大米就是水稻的种子。水稻种子的主要成分是淀粉。淀粉是非常重要的营养来源，为生物的生命活动提供能量。也有使用其他物质作为能量来源的种子，就像有的车加汽油，有的车靠柴油发动一样。在葵花籽和油菜籽中，脂肪是供植物生长的主要能量来源，这也是人们用葵花籽和油菜籽来榨油的原因。豆科植物种子中储存的则是蛋白质。豆科植物与根瘤菌共生，即使在没有氮的地方也能生长。但刚开始发芽的豆芽还没有开始与根瘤菌共生，因此豆

1　挤馒头，日本传统游戏。孩子们围成一圈、互相推挤，看看谁能站稳不倒。通常在冬天进行，既能玩乐也有助于取暖。——译者注（如无特殊说明，本书注释均为译者注。）

芽在种子里储蓄蛋白质作为氮源。

此外，豆科植物还具有一个特性。植物的种子里有是植物之本、用来发芽的"胚"，相当于植物的"婴儿"；还有"胚乳"，即胚的营养成分，好比婴儿的乳汁。糙米中仍保留着胚；我们常吃的精白米则去除了胚，只保留营养丰富的胚乳。植物的种子通常都有胚和胚乳，但豆科植物的种子里没有胚乳。

我们一起来看看更大也更便于观察的黄豆芽吧。黄豆芽的子叶有两片，毛豆、蚕豆和花生等也是如此。豆科植物的种子内没有胚乳，而内含两片子叶，正是这两片肥厚的子叶储存着发芽所需的营养成分。水稻等大多数植物的种子中大部分都是胚乳，胚只占很小的一部分，而如果胚生长出的芽越大就越有竞争优势。因此，豆科植物通过用子叶贮存营养，有效地利用了种子内的有限空间，从而生长出更大的芽。

豆科植物体内储备着生存必备的能量，而豆芽正是充分利用这些能量、向上生长的形态，哪里弱小了呢？所以呀，细细长长的豆芽也是，保持原样就好。

红薯

　　日语里的"芋っぽい"是非常瞧不起人的叫法，意思是"土里土气，就像红薯、土豆似的"。如果特别土，还会被叫作"薯大哥"（イモ兄ちゃん）或"薯大姐"（イモ姉ちゃん）。土里挖出来的红薯，太土了，不管怎么洗还是土。红薯就是土气的代名词。为什么会有这么土的生物呀？

　　"薯大哥"和"薯大姐"听起来就很瞧不起人。过去，还有"薯爷爷"（イモ爺じいさん）一词，只是"薯爷爷"是尊称。日本各地都有"薯爷爷"的石碑，"薯爷爷"是了不起的人物。

　　红薯是原产于中美洲的农作物，在哥伦布发现新大陆后传到了欧洲。日本战国时代末期，红薯传入了当时的日本令制国萨摩国。于是，红薯在日本叫"萨摩芋"。在此之前，日本常见的块茎类植物是芋头和山药。对来自国外、从未见过的红薯，人们不禁感到陌生。但是，红薯在贫瘠的土地也能生长；而且营养丰富，是饥荒时期的绝佳粮食。有人意识到了这一点，但要想推广人们从未见过的红薯并引入种植并非易事。

　　不仅如此，来自中美洲的红薯并不耐寒。特别是在没有暖气的过去，将秋收的红薯保存过冬是极其困难的。江户时代，日本儒学者青木昆阳研发出了红

薯的栽培和储存技术，
被尊称为"红薯先生"。
日本各地的有志之士也
纷纷开始种植红薯、推
广红薯作为救荒粮食，
以备灾害与战争的不时

之需，使大量人口免于饥饿。这些在各地种植和推广
红薯种植的人便被尊称为"薯爷爷"。被冠以"红薯"
的名字，是受尊敬的证明。

即使在现代，日本的粮食自给率也不到40%。虽
然只是假设，但如果完全停止进口的话，十个日本人
中有六个都会吃不上饭。不过，如果只吃红薯，足以
供养日本现在的人口。红薯不仅可以在贫瘠的土壤中
种植，也有着惊人的产量。此外，红薯的茎和叶子还
可以用作家畜的饲料。应对粮食短缺时，红薯是非常
安心的植物。

所以呀，哪怕是土里土气的红薯，也是保持原样
就好。

Chapter
03
"不起眼"的生物

鸭嘴兽

鸭嘴兽是奇妙的生物。分明是哺乳动物，却会下蛋，还有像鸟一样的喙。很久以前，探险家将鸭嘴兽的毛皮寄回自己的国家，人们却怀疑这张毛皮是由多种动物的毛皮拼接制成的，似乎大家都不相信鸭嘴兽的存在。鸭嘴兽就是这般奇怪的生物。

哺乳动物有两大特征。一是不产卵，而是胎生产下幼崽；二是用母乳喂养幼崽。鸭嘴兽虽是卵生，却用母乳喂养由蛋孵化出的幼崽，因此被归为哺乳动物。打破常规的鸭嘴兽是自然界最奇妙的动物之一。为什么如此奇妙的生物会存在呢？

但是……说到底，是谁决定了哺乳动物的定义呢？

鸭嘴兽在很早以前就存在了。6500万年前，恐龙灭绝、哺乳动物开始快速发展，地球上就有鸭嘴兽；甚至在恐龙活跃的2亿5000万年前，鸭嘴兽就生活在地球上了。此外，自远古时代，鸭嘴兽就没有改变过自身的形态，堪称生物界的"活化石"，真是厉害！仔细想想，其他生物之所以进化，是因为不改变形态就无法存活；但鸭嘴兽在最开始就拥有了无须改变的成熟形态。

部分学说认为，鸭嘴兽之所以产卵，是因为保留了远古时代的哺乳动物还未进化时的特征。而在那

时，地球上还没有人类。早在人类创造出"哺乳动物"这一概念以前，鸭嘴兽就已经生活在地球上了。与

人类相比，鸭嘴兽才是大前辈。人们却非常随意地评价鸭嘴兽，讨论鸭嘴兽到底"像"还是"不像"哺乳动物。

说到底，自然界中并没有分界，是人类划下了界限以进行区分和理解。在没有任何界线的土地上，人们画下国境线、县境线、经线和纬线。富士山的界限到底在哪里呢？富士山连绵不断，我们却定义了"是富士山"和"不是富士山"的地方。人类按自己的理解对自然界万物进行区分和归类，说着诸如"看起来像……""看起来不像……"之类的话，真是非常任性和随便的生物啊。

明明从很久以前开始，鸭嘴兽就有了自己的形态，却被说成奇怪的生物，或是一直拿来与其他哺乳动物相比较。所以呢，即使被说成"四不像"，鸭嘴兽也是保持原样就好。

企鹅

企鹅也是不会飞的鸟。明明是鸟，却不能在天空中飞翔。鸵鸟也不会飞，但能在陆地上强劲地奔跑，企鹅却连奔跑都做不到。就像刚开始走路的婴儿，企鹅只会摇摇晃晃地走路。为什么如此笨拙的生物会存在呀？

要想飞行，必须让身体变得轻便。因此，鸟类大多骨骼纤细且中空，以实现减重。企鹅的骨头则粗大且实心，体重重了，自然就无法飞行。

然而，企鹅并不是从最开始就不会飞。企鹅的祖先是在天空中飞翔的海鸟，以大海中丰富的鱼类为食。海鸟从空中俯冲捕捉鱼类，但从空中瞄准目标并不容易。因此，企鹅的祖先进化出了长时间潜水和游泳的能力。体重重则更有利于潜入海中。为了承受住海水的压力，结实的骨头也是必要的。潜泳时，硕大的翅膀会产生阻力，因此企鹅的翅膀也经过退化而缩小了。

就这样，企鹅放弃了飞行，进化成游泳健将的形态。不过，企鹅仍保留了鸟类的部分骨骼特征，因此在水中游泳的企鹅看起来就

Chapter 03 "不起眼"的生物

像在长空中飞翔的鸟儿一样。企鹅并非不会飞的鸟，而是能在水里飞的鸟。

无论是天空中飞行的鸟儿，还是地面上飞驰的鸵鸟，都没什么好羡慕的。企鹅无须奋力飞行或快速奔跑，而是在大海中发挥着自己的实力。对企鹅来说，最重要的事情是找寻可以潜入的海域。

所以呢，不会飞的企鹅，也是保持原样就好呀。

河马

如果被说长得像河马，会是怎样的感受呢？动物园的河马在水中悠闲自在地生活着，时而从水中露出脸蛋，时而动一动耳朵，时而张开大嘴，咬碎饲养员喂的西瓜，享受游客的欢呼。真是十分悠闲呀。为什么这种笨蛋生物会存在呢？

非洲最凶猛的动物是什么呢？不是狮子，也不是大象，而是河马。在非洲，当地人最害怕的动物就是河马，许多人因被河马袭击而丧生。

河马是领地意识很强的动物。如果领地被侵犯，是无论如何都无法容忍的。脾气暴躁的河马会攻击任何侵入领地的生物。要是等到它们用那巨型的身体突进、用大嘴和巨型獠牙撕咬时，可就完蛋了。同样栖息于水边的鳄鱼也根本敌不过河马，凶暴的鳄鱼也会因河马袭击而死亡。哪怕面对狮子，无所畏惧的河马也会发起攻击。

虽然河马看起来优哉游哉，却能以40千米的时速奔跑。当然，在水域中，河马更能发挥实力。在水中生活的河马其实并不会游泳，而是先将沉重而庞大的身躯沉入水中，再在水底奔跑，时速可达60千米。在水中居然能比陆地上跑得更快呢。

令人意外的是，河马和鲸鱼拥有共同的祖先。鲸鱼选择了海洋，河马称霸河流。它们都因选择了许多

动物并不擅长的
水域而取得成功。

靠近我会咬
伤你的啲!

张开大嘴时,
河马绝不是在悠
闲地打哈欠,而是为了露出獠牙来威胁恐吓。可不能
被外表迷惑,河马是最强的动物。所以呀,嘴巴大大
的河马,也是保持原样就好。

狸猫

大家说狸猫会变身，这是真的吗？狸猫会用圆滚滚的肚子打鼓[2]。在日本传统故事《咔嚓咔嚓山》里，狸猫捉弄了老奶奶，于是兔子约它爬山、点燃狸猫背上的柴火。信乐烧[3]里的狸猫总是拿着小酒壶走路的造型。传说里的狸猫虽然会变身，但总是失败；很幽默，但也慢半拍。在人们的心目中，狐狸也会变身。但狐狸聪明敏捷，狸猫又矮又胖、动作迟钝。为什么这种生物会存在呀？

狐狸总给人一种神秘且有灵性的感觉。说起来，日本神话中的谷物与食物之神稻荷神的使者就是狐狸。从前，我在草原上遇见野生的狐狸，狐狸并没有逃跑，而是在远处一动不动地看着我。靠近的话，狐狸会朝着森林的方向稍稍移动，随后再次停下，直勾勾地看着我。狐狸的眼睛的确很神秘。如果看向狐狸，会觉得也在被狐狸凝视着。狐狸眼里似乎有种吸引人的力量，有时甚至还会感觉有种欺骗性。

狐狸是肉食动物。之所以成为稻荷神的使者，是

---

2 在日本妖怪文化中，狸猫常常在变身时做出这一动作，名为"腹鼓"。这一幽默有趣的动作也与狸猫诙谐、爱捉弄人的形象相符合。

3 信乐烧，产自日本滋贺县信乐町的陶器，因多为狸猫造型而闻名。

因为狐狸会捕食糟蹋作物的老鼠。此外，为了捕获猎物，狐狸需要广阔的领地。或许狐狸只是在守护领地，警惕地观察着侵入领地的可疑人类；但在人看来，却有种被凝视和召唤的感觉。民间故事里也有很多狐狸引路的桥段，或许也是出于这个原因吧。

狸猫却是杂食动物，虽然偶尔也捕食小动物，但主要以昆虫和青蛙为食，果实、橡子、蘑菇什么的也吃。因此，狸猫没必要像狐狸那样快速奔跑、敏捷跳跃。相反，为了更有利于在茂密的森林中穿行、吃到地上的食物，狸猫进化成了腿短个子矮的样子。因为到了冬天就没有了食物来源，狸猫也会提前储蓄皮下脂肪，把自己养得胖嘟嘟的。因此，人们觉得狸猫圆滚滚的肚皮滑稽又可爱。狸猫也在以自己的方式进化着。

猎人放枪的话，狸猫会假死。因此，日语中的装睡叫"狸寝入り"（狸猫睡觉）。当猎人以为自己击中了猎物并逐渐靠近时，狸猫就会瞅准时机逃之夭夭。人们常说狸猫会骗人或许就是这个原因。

狐狸需要广阔的领地。如果人类开发山林，狐狸就无法栖息。但对杂食性的狸猫来说，即使山林被开发，也能将有限的绿地作为

栖身之所。因此，即使是现在，狸猫也会出没在我们身边。

狸猫就是我们人类身边的生物。就算是看起来慢半拍的狸猫，也是保持原样就好。

蝼蛄

"蝼蚁之辈"实在是看不起人的说法。《手掌心中的太阳》歌唱着"蚯蚓"和"蝼蛄大人"等小虫。虽说给蝼蛄加了敬语，但反倒有种讽刺的意味。日本人也会用"变成蝼蛄咯"来形容因赌博输得身无分文的人。因为蝼蛄一旦被抓住，就会张大前脚，很像举手投降的样子。为什么如此被瞧不起的生物会存在呀？

在土里挖洞生活的蝼蛄拥有铲子般的前脚。被抓住的蝼蛄想钻入土中逃走，所以张大前脚。蝼蛄的英文名是 mole cricket，即"鼹鼠蟋蟀"，意思是像鼹鼠一样生活在地下。蝼蛄是蟋蟀的近亲，也会鸣叫，通过摩擦翅膀发出声音。只是蝼蛄的叫声是从地底下传来的"吱——"一般的沉闷响声。古人以为这是蚯蚓的叫声，便将"蚯蚓鸣"作为秋天的季语[4]，即使现在也还在使用，其实这是蝼蛄的声音。

自然界中，适者生存。或许你认为在生物的激烈竞争中，不同物种一定得拼个你死我活，其实许多生物是可以共存的。生物错开生态位，选择不同的栖息地和食物，以减少导致某方灭绝的激烈竞争，这被称为"竞争排斥原理"。生态位的重叠就意味着竞争的风险，因此不同物种错开各自的生态位。

4　季语，日本诗歌中用来代表特定季节的词语。

那么，蝼蛄的错开方式是怎样的呢？蝼蛄和蟋蟀同属直翅目，而少有生活在地下的直翅目昆虫，蝼蛄便来到了一个没有竞争对手的世界。此外，昆虫的头号天敌是鸟类，如果生活在土里，自然就能轻松躲开鸟类的侵袭。既然如此，其他直翅目昆虫为什么不也移居地下呢？因为在土里栖息并不容易。

在科幻电影和机器人动画里，常有一种带有钻头、用于深入地下的交通工具。但当钻头钻出洞穴时，直径更大的机体其实无法通过洞口。要想机体通过，必须将挖出来的泥土抛到后面。蝼蛄的前脚就像一对带有锯齿的巨型动力铲，将泥土抛至身后。此外，前脚上的尖刺还能切断土里的草根，从而继续前行。

蝼蛄头大而身体细长，这也是方便通过洞穴的身形。蝼蛄身体的前半部分像盔甲一般坚硬，方便钻土；下半身则柔软，以滑入挖好的洞穴。下半身还长有软毛，防止泥土附着在身上增加阻力。因为有这么多装备，蝼蛄才能在地下畅通无阻。

不可思议的是，蝼蛄的样子和鼹鼠像极了。虽然身为昆虫的蝼蛄和哺乳动物鼹鼠经历

了完全不同的进化，但因为同样生活在地下，最终进化成了非常相似的形态。不同物种趋于相似形态的进化现象叫"趋同进化"。

蝼蛄不仅能在土里挖洞前行，还能张开翅膀飞行，蟋蟀可做不到这点。蝼蛄用长长的后翅飞行，前翅则用来摩擦发声。蝼蛄身上的毛还能防水，用前脚划水便能快速游泳。真是轻松驾驭水陆空的全能型选手。

是谁把这么厉害的虫子称为"蝼蚁之辈"的呀？被看不起的蝼蛄，也是保持原样就好。

蚂蚁

提到蚂蚁时，人们往往会说"小蚂蚁"。蚂蚁身形小，也是渺小且弱小的存在。排着队、辛勤劳动和筑巢；有时被踩踏，有时被孩子们毁坏巢穴，这就是蚂蚁。为什么如此弱小的生物会存在呀？

其实，蚂蚁可以说是昆虫界的最强存在。蚂蚁最大的优势是集体行动。自然界似乎有很多比蚂蚁更强的昆虫，但没有昆虫能与集体出击的蚂蚁对抗。蜂类是让人类也有些害怕的昆虫，但也害怕蚂蚁的袭击，所以许多蜂类将巢穴悬挂在高处，甚至在巢穴底部涂上蚂蚁讨厌的物质。白蚁中负责防御的兵蚁长有巨大獠牙，也是为了抵御蚂蚁进化出来的。蚂蚁是其他昆虫恐惧的存在，甚至让人类也感到害怕。成群结队的行军蚁所到之处，粮食被一扫而光，甚至家禽也被吃得只剩骨头。蚂蚁的确是强大的存在。

因此，许多生物都想利用强大的蚂蚁。蚜虫会从尾部分泌出蚂蚁喜爱的甘露。因此，为了从蚜虫那里讨要甘露，蚂蚁会赶走以蚜虫为食的瓢虫。遭蚁群袭击时，瓢虫只得落荒而逃。灰蝶的幼虫也会分泌蚂蚁爱吃的蜜汁。作为报酬，蚂蚁会让灰蝶的幼虫住进蚁穴，可谓十分可靠的保镖。

蚂蚁由蜂类进化而来，也被称为"进化程度最高的昆虫"。蚂蚁和蜂类都是社会性强、群体生存的昆虫。比起独自生活，群居的生存率会大大提升。蚂蚁和蜂类都以蚁后或蜂后为中心，形成明确  的等级制度与分工。如果说人类等哺乳动物发育了智力，那么昆虫则高度发展了本能。蚂蚁和蜂类凭借本能使复杂的群体结构高效运转。

昆虫拥有可以飞行的翅膀，但扇动翅膀飞行需要很多能量。因此，由蜂类进化而来的蚂蚁退化了翅膀。在蚂蚁进化出高度发达的群体性行为，选择在地面筑巢后，翅膀便不再必要了。

如果说人类是脊椎动物中智力的顶点，那么蚂蚁便是本能发达的无脊椎动物中的巅峰存在。就像人类称霸生物界一样，蚂蚁也是称霸昆虫界的存在。不要再小看蚂蚁啦，即使是"弱小"的蚂蚁，也是保持原样就好。

葛

日语中的"葛"与"渣滓"一词同音，所以大家都把葛叫作"渣滓"。为什么会有叫这种名字的生物存在呀？葛是葛粉糕和葛根汤的原料。在日本，葛产自奈良县的国栖地区，葛的名字与"国栖"同音，也与"渣滓"近似。

因为有着美丽的花朵，葛在日本古代被列入"秋之七草"。葛是豆科的藤本植物，生长速度极快。其他植物必须长出强韧的茎，以免倒伏；藤本植物则无须靠自身支撑，只要让藤蔓不断生长、缠绕在周围就行了。

葛叶里也有秘密。葛叶以三片为一组，每片小叶子都能自由活动。因此，葛能够灵巧地转动树叶、调整位置，高效吸收光照并进行光合作用。正午紫外线过强时，葛便会竖起叶片，避免阳光直射。

生长旺盛的葛能完全覆盖住周围的树木，夺走阳光、使其枯萎。攀缘电线杆的葛甚至能将输电线也整个包裹起来。没有攀缘物也没关系，葛可以

将茎缠绕在一起，覆盖整个地面。因此，一些河堤和铁道也布满了葛藤。

日本曾从美国引进葛以治理水土流失，但葛的长势远远超出预期。葛成了臭名昭著的杂草，引发环境问题。在美国，葛被称为"绿色怪物"（green monster）。

葛对人类有用，也有害。葛究竟是怎样的生物呢？葛就是葛。"有用"或"碍事"只是人类的评价罢了。在葛看来，人类才是自私的生物吧。所以呀，就算是被叫作渣滓的葛，也是保持原样就好。

Chapter
04
"讨厌"的生物

蝙蝠

在日本，人们将骑墙派称作"蝙蝠"。《伊索寓言》里就有一则关于蝙蝠的故事：兽类和鸟类之间爆发了战争。当兽类占上风时，蝙蝠凭借"我长毛"的理由加入阵营；

当鸟类占上风时，蝙蝠又以"我有翅膀"的理由加入鸟类。等到战争结束，圆滑的蝙蝠被兽类和鸟类同时拒之门外，此后便只能躲在黑暗的洞窟里，只在夜晚飞行。果然是摇摆不定的臭家伙呀，为什么有如此卑鄙的生物呢？

在自然界，重要的事情不是在竞争中获胜。打赢一次不算胜利，必须在持续的竞争中持续获胜。但是，持续获胜并不容易。因此，要想在自然界中存活下去，避开竞争对手是更能成功的战略。要做到这一点，就得与大家都不一样。

就这点而言，天空就是一个好地方。地面有太多生物，进军天空的生物相对较少。但是，白天的天空中有鸟儿。那夜晚呢？夜晚的天空没有竞争对手，也不用担心被天敌袭击。蝙蝠便如愿拥有了夜晚的天空。

和走兽不同，和飞鸟也不一样，蝙蝠是唯一会飞的哺乳动物，因此脱颖而出、取得成功。蝙蝠是如何飞行的呢？鸟类的翅膀有羽毛。鸟类飞行时拍打翅膀，羽毛的结构能产生流速差，从而形成升力，与飞机的构造原理相似。蝙蝠的翅膀则没有羽毛，而是连接前肢指骨与后肢的皮膜。这层皮膜就像滑翔翼一般，使蝙蝠乘风飞行。蝙蝠有四片皮膜和数个关节，因此翅膀能灵活运动。急转弯、急降、急速上升等动作蝙蝠都能轻松完成，宛如战斗机一般。因此，蝙蝠能轻松捕捉空中飞行的昆虫。

　　在什么也看不见的黑夜里，蝙蝠发出超声波，通过回声探测并捕捉猎物，真是高性能的雷达呀。虽然是"墙头草"，但蝙蝠在自己的世界里最大限度地发挥着自己的能力，是很厉害的生物。所以呢，蝙蝠也是，保持原样就好。

秃鹫

秃鹫秃顶，所以叫"秃"鹫。不仅是老年秃鹫，年轻的秃鹫也秃顶；雄性秃鹫秃顶，雌性秃鹫也是。秃鹫以动物尸体为食，真是令人毛骨悚然的存在。为什么这么可怕的生物会存在呀？

以动物腐肉为食的生物叫食腐生物。所有生物最终都会死亡，如果没有食腐生物，谁来清理动物的尸体呢？因此，食腐动物被称为"地球的清洁工"。此外，比起杀死还活着的动物，以死去的动物为食不是更和平的方式吗？

食用死去的动物好像比捕捉猎物轻松得多，但并非如此。毕竟是腐坏了的肉，吃下去会坏肚子吧。因此，秃鹫有着发达的内脏。人类胃酸的酸碱值为1.5～3.5，这是能腐蚀金属的强酸性。但秃鹫胃酸的酸碱值在1以下，能杀灭腐肉携带的所有病原菌。秃鹫大小便时，还会将脚伸得笔直，使排泄物接触足部和腿部。这是因为秃鹫的排泄物也具有强酸性，能对常接触腐肉的腿脚消毒。

秃鹫为什么秃顶呢？如果把头埋进动物尸体里进

食的话，头就会弄脏。于是，为了保持头部清洁，秃鹫便秃了。看来，秃顶这件事也是有意义的。所以呢，秃顶的秃鹫也是，保持原样就好啦。

斑鬣狗

有句话叫"鬣狗一样的家伙","鬣狗"是贬义词。鬣狗好像总是以狮子吃剩的腐肉为食。在动物形象的动画片里,鬣狗一定是反派角色,最多也就演演狮子老虎的手下等小角色,绝非什么大人物。为什么这么讨厌的生物要存在呀?

是谁说鬣狗以腐肉为食的呢?鬣狗的大多数猎物都是自己捕获的。鬣狗中代表性的斑鬣狗就是狩猎高手。"百兽之王"狮子的狩猎成功率大约为20%,斑鬣狗的狩猎成功率则超过70%,是狮子的三倍之多。狮子一般由母狮集体狩猎,悄悄接近,再瞄准空隙、伺机突袭。因此,一旦猎物发现,此次狩猎就结束了。

斑鬣狗则会形成一支以雌性首领为中心、训练有素的队伍狩猎,还拥有以65千米的时速持续奔跑的超强耐力,通过坚持不懈地持续追赶成功捕获目标。没有食物的狮子还会威胁斑鬣狗、抢夺猎物。斑鬣狗是连狮子都羡慕的狩猎高手。

斑鬣狗和狮子是竞争对手,自然也有被狮子杀死的时候。但当斑鬣狗集体出战时,孤零零的一头狮子就不再是强大的生物了。一种观点认为,狮子之所以是群居动物,就是因为害怕斑鬣狗。

当然,鬣狗也会偶尔食用腐肉,是唯一能食用

腐肉的大型肉食动物。鬣狗拥有能碾碎骨头的强劲下颚和能消化腐肉的强大消化器官。就像前一

节所说的那样，食腐生物在生态系统中扮演了重要角色，而鬣狗是美丽草原上的清洁工。

所以呢，被讨厌的鬣狗，也是保持原样就好。

狼

童话世界中，狼总是坏蛋。无论是《三只小猪》，还是《七只小羊》，狼在里面都是反面角色。狼不仅可怕，还很奸猾，总之是个坏家伙。为什么如此邪恶的生物会存在呢？

实际上，狼是温柔的动物。狼非常有家庭意识，并且疼爱孩子。有名的《西顿动物记》里，第一篇就是狼王洛玻的故事。洛玻前去拯救落入陷阱、命悬一线的爱妻，最终失去了自己的生命。虽然狼经常扮演反派，但就像西顿描写的那样，狼其实是很有爱的动物。

狼是一夫一妻制，以父亲为中心、母亲和孩子为成员形成家庭单位。狼以较大的动物为猎物，所以狩猎时是全家齐心合力出击。

养育幼崽的任务也是家庭成员共同完成的。狼妈妈在巢穴中产崽，其他成员负责狩猎，为狼妈妈带来食物。等狼崽大一些，就会一同搬到更高的地方安家，将幼崽安置其中，成年狼再出去狩猎。比幼崽大一些的兄弟姐妹会轮流看家、照顾幼崽。和哥哥姐姐生活在一起，狼崽也能学到很多。幼崽一边嬉戏玩耍，一边学习着狼群的社会规则和狩猎方法等生存必备技能。狼爸爸也是超级奶爸，真是和睦的家庭。

尽管被讨厌和畏惧，狼其实是温柔的动物。所以呢，被当作坏蛋的狼，也是保持原样就好。

屁步甲

因常常聚集在垃圾场，部分步甲科昆虫在日本叫"垃圾虫"，真是很过分的名字。其中，还有一种"放屁虫"。顾名思义，因为放出臭屁，才有了这样的名字。为什么如此随便的生物会存在呢？

垃圾虫其实不吃垃圾，而以吃垃圾的昆虫为食。垃圾虫是食肉昆虫，是为人类吃掉害虫的益虫。在欧洲，人们设有田间的绿地，吸引垃圾虫前来栖息、消灭害虫。这些绿地被称为 beetle bank，即"步甲堤"。

许多垃圾虫都不会飞。垃圾虫的前翅硬化以保护身体，后翅也退化了。取而代之，垃圾虫拥有了快速爬行的能力。飞行需要消耗能量，因此如果放弃飞行，就能充分利用节省下来的能量，产下更多的卵。

是飞行以扩大活动范围更好，还是放弃飞行留下更多的卵更好呢？这是昆虫面临的两难问题。许多昆虫选择了前者，也有包括垃圾虫在内的昆虫选择放弃飞行。而放弃飞行便意味着需要找到其他手段来保护自己。

一些垃圾虫会使用臭味物质来保护自己，比如屁步甲。一旦面临危险，屁步甲就会从屁股处喷射出气体，并发出噼里啪啦的响声。因为看上去很像是在放屁，释放出的气体也恶臭难闻，所以得名"放屁虫"。

但步甲虫并不是在放屁，而是自卫。该气体高达100℃，足以烧伤鸟类和青蛙等天敌。

这么小的虫子是如何在体内储存这种危险气体的呢？屁步甲的体内器官会生成对苯二酚和过氧化氢两种物质。对苯二酚是一种蜕皮后硬化外皮的物质，过氧化氢是用于细胞生物防御反应的物质，各自都没有危险性。但当危险来临时，步甲虫会将两种物质混合并加入酶，由此产生剧烈的化学反应，形成一种叫苯醌的高温气体。随后，步甲虫便会向敌人发动攻击。喷射口并非肛门，所以进一步说明屁步甲不是在放屁。屁步甲还能调整喷射方向、瞄准敌人，或连续发射，真是非常高性能的武器。

令人震惊的是，火箭引擎的发射机制也是将两种物质混合、产生化学反应并形成高温气体。屁步甲是怎么想到如此复杂的方法的呢？

现代进化论认为，进化在遗传变异和自然选择的过程中产生。通过逐步进化，步甲虫拥有了先进的防御机制。但至今人们也无法得出屁步甲复杂防御机制背后的确切原因。

不过，找到解释是人类的事，和屁步甲的生活一点儿关系都没有。所以啊，就算被起了"放屁虫"这种过分的名字，屁步甲也是保持原样就好。

屎壳郎

一些小虫子会聚集在动物粪便周围，屎壳郎就是其中的代表。屎壳郎学名蜣螂。粪便是很脏的东西，竟然有以粪便为食的昆虫。如此肮脏的生物为什么会存在呀？

法布尔在《昆虫记》中深入研究和介绍了这种生物。屎壳郎将动物粪便团成球，身体倒立、用后腿滚动。说起屎壳郎，总给人一种脏兮兮的感觉，但令人意外的是，古埃及人将屎壳郎视为神圣的存在，称之为"圣甲虫"。

屎壳郎滚动和搬运动物粪便，再在其中产卵、孵化出新的幼虫。这一循环令古埃及人联

想到日升日落的循环与太阳神。这一视角十分宝贵，因为古埃及人没有先入为主地将屎壳郎与"粪""脏"等印象联系起来，而是仔细观察了这种昆虫。

屎壳郎在带回的粪球中产卵，孵化出来的幼虫以粪便为食，成虫后再爬出粪球。随后，成虫便能无师自通地自己找到动物粪便，并做出粪球、用后腿滚动。昆虫虽仅凭本能活着，却足以自主完成这样复杂的任务。

在日本，最引人注目的屎壳郎是粪金龟。粪金龟有着闪亮的颜色，在阳光下熠熠生辉、宛若宝石般美丽。想到宝石般的虫子会沾上粪便，可能会觉得有些怪怪的吧。

但这有什么大不了的呢，"干净"和"肮脏"又是谁决定的呢？粪便是从动物体内排出的有机物，粪金龟的身体也是有机物，本质上没有差别。对粪金龟来说，粪便只是食物而已。或许，粪金龟没有觉得自己很美，也没有觉得粪便很脏吧。

屎壳郎没有发达的智力，只是依靠本能真实地活着。所以呢，"肮脏"的屎壳郎也是保持原样就好。

苍蝇

日语中的"吵死了"（うるさい），用日文汉字写作"五月蝇"。据说这是文豪夏目漱石创立的写法，实在是很巧妙呀。不过在他之前，就有用"如同五月的苍蝇"来形容喧闹事物的说法了。不管怎样，苍蝇都很吵；无论怎么驱赶，苍蝇还是会来。如果世上没有苍蝇，该多好呀。为什么这么烦人的生物会存在呀？

嗡嗡作响的苍蝇太吵了。苍蝇以高达每秒200次的频率拍打着翅膀，所以才能发出这种高频率的振翅声。此外，昆虫一般都有两对翅膀，苍蝇却只有一对。两对翅膀具有稳定性，但会妨碍快速飞行。因此，苍蝇退化了后翅，以便快速移动。退化了的后翅还能像平衡杆一般起到稳定飞行的作用。如此一来，苍蝇不仅可以高速飞行，还能做出翻跟头、急转弯等杂技飞行一般的动作。

不仅如此，苍蝇还能停留在墙壁、天花板，甚至光滑的玻璃窗上，就像没有重力一般。这是怎么做到的？苍蝇的足尖长有许多细毛，能产生黏着力很强的分泌液。因此，这些细毛能像吸盘一般支撑着苍蝇的身体。

苍蝇的足尖还有很重要的作用。"莫再取蝇命，小小蝇儿在搓手，小脚也在动。"正如小林一茶所写，准备拍打苍蝇时，苍蝇似乎总是搓着手，就像拼命求饶一样。对苍蝇来说，足尖上的细毛也是味觉传感器，于是必须不断搓手搓脚做定期保养，保持味觉的灵敏。

苍蝇是拥有高超的飞行技术和高度灵敏的传感器的生物。所以呢，就算被说"吵死了"，苍蝇也是保持原样就好。

蟑螂

蟑螂是被人讨厌的家伙。一旦发现蟑螂，人们就会发出尖叫，卷起报纸发动攻击。可蟑螂并没给人类带来什么危害，也没有毒。即便如此，很多人都讨厌蟑螂，衷心期盼着一个没有蟑螂的世界。蟑螂是与人类不共戴天的生物。为什么这么讨厌的生物会存在呢？

早在3亿多年前的古生代，蟑螂就以和现在差不多的样子存在于地球上了。智人出现大约是20万年前的事，人类在地球上存在的时间连蟑螂的千分之一都不到。比起人类，蟑螂可是元老。

3亿多年前，恐龙都还未出现。在这之后，地球经历了多次大幅环境变化和"生物大灭绝"事件。蟑螂诞生于古生代的石炭纪（3.5亿至2.998亿年前）。在石炭纪后的二叠纪（2.99亿至2.51亿年前），剧烈的火山活动引发大规模气候变化，导致全球超90%的物种灭绝的"二叠纪末生命大灭绝"事件。在这次大灭绝中，曾在古生代的海洋中繁衍生息的三叶虫消失了，而在这次大灭绝中幸存的恐龙的祖先开始活跃。

古生代之后，在中生代三叠纪（2.519亿至2.13亿年前）也发生了大灭绝。许多爬行动物消失，恐龙开始称霸地球。不过，强大的恐龙也在白垩纪（1.45亿至6600万年前）末期因小行星撞击地球全部灭绝。地球上的生命来来往往，蟑螂却存活至今。"从3亿年前就存在"，并非理所当然的事，而是了不起的成绩！

蟑螂是超强的生物。如果换算成人类的体形，蟑螂能以超过300千米的时速奔跑，具有极强的爆发力。仅用0.5秒，蟑螂就能察觉到危险；也能像忍者一般潜入狭小的缝隙，或像蜘蛛侠一般飞檐走壁。当然，蟑螂也能在空中飞行，拥有堪称不死之躯的身体。简直是无敌的超级英雄呀。

每当拿起拖鞋准备拍打它时，蟑螂都能以最快的速度察觉到危险、逃之夭夭。蟑螂的尾部有叫作尾叶的感觉器官，上面长有无数细毛，可以感知微弱的气流变化。昆虫的身体并不像人体一样由大脑控制，而是由神经节和突触组成多个分散在身体各处的"小型大脑"，各个部位便能条件反射地做出反应。

令人毛骨悚然的是，即使不幸被拖鞋打掉了头，蟑螂仍能拖着残留的躯干逃跑。这正是因为蟑螂有着分散的神经系统。或许正因如此，蟑螂才能敏锐地察觉危险、克服危机，数次挺过大灭绝时代吧。

不过，蟑螂并非毫无变化。在人类诞生后，曾以森林为栖居地的蟑螂开始移居到人类家中。据说在新石器时代，蟑螂就已经和人类共同生活了。虽说看上去是没什么变化，但是蟑螂巧妙地适应了时代。

蟑螂、腔棘鱼等生物堪称"活化石"。其实，我们身边就有许多活化石。例如，白蚁和衣鱼从古生代起就存在且保留了当时的形态。可白蚁因为啃食柱子而被讨厌，衣鱼也会啃食窗户纸和书籍。对人类来说，这些活化石都是害虫。要想存活3亿年，或许也得有张厚脸皮吧。

现在，也有人认为，因为人类造成的环境破坏，地球在未来会再次发生大灭绝事件。到那时，或许人类也无法幸存。即便如此，蟑螂好像也毫不在意。就算人类从地球上消失了，蟑螂也会继续生活下去的吧。

所以呢，即使被讨厌，蟑螂也是保持原样就好。

杂草

除草是一件非常费劲的事。除草之后，过不了多久，杂草又会长出来。拔了又拔，还是会长出来，好像越拔越多。稍微懈怠一下，又立刻乱长。真的是难缠的生物，为什么这么烦人的生物会存在呀？

在路边、田间、公园，杂草随处可见。但仔细想想，这些好像都是不太适合植物生长的地方。为了在大多数植物都无法生长的严苛环境中生存，必须具有特性。为了适应特殊的环境，杂草实现

了特殊的进化。杂草并非"随意生长"的生物。

即使同为杂草，不同种类也拥有适合各自生长的固定场所。生长在路边的杂草抗踩踏，田地里的杂草能在被经常耕种的土地生长，公园里的杂草则能经受住频繁的修剪。杂草选择自己擅长的场所，并坚定发挥着自己的特性。

虽说总是统称为"杂草"，但杂草有很多种类，也都有各自的个性和长处。说到底，"杂草"到底是什么意思呢？带有"杂"的词语很多，比如杂志、杂学、杂货、杂技团等，但哪个都不是贬义。非要说的

话，"杂"是"多"的意思，"杂"代表着多样性。

充分发挥各自的个性、坚定生长着，这就是杂草。所以呢，难缠的杂草也是，保持原样就好啦。

Chapter
05
还是保持原样就好啊

海豚跑不快

生物的生存方式都极富个性。自然界有各种各样的生物，每种生物都在各自擅长的地方生活着。例如，擅长奔跑的生物常常生活在开阔地带，擅长爬树的生物栖息在树上，擅长游泳的生物生活在海洋与河流，擅长躲藏的生物生活在岩石背面等隐蔽处。

对生物而言，最重要的是"在擅长的地方一决胜负"。如果来到陆地，在海里是游泳健将的海豚什么也做不了。为什么不能像狗一样奔跑，为什么不能像鸟一样飞行呢？这么想只会徒增烦恼。

对海豚而言，最重要的事情不是努力学会快速奔跑，也不是练习像鸟类一样飞行，而是尽快寻找有水的地方并潜入其中。

学习海豚的生存方式

"在擅长的地方一决胜负""不在不擅长的地方战斗",这些都是生物根本的生存战略,我从中学到了很多。如果觉得很难取得成绩,或许不是因为不够努力,而是因为这并不是你擅长的地方。

那么,在什么样的地方才能充分发挥实力,并愿意为此不懈努力呢?这样的地方得主动去寻找。如果暂时找不到,便继续学习、充实自己。另外,或许你已经对自己目前所处的位置感到满意,但可能更适合你的地方还在别处。

当然,我不是在说搬家或转学。搬家或转学或许有好处,但人类社会创造了各种各样的环境,或许我们自己也能创造环境。由自己创造的环境或许是最适合自己的。

没有跑得慢的猎豹

"在擅长的地方一决胜负"，这样的生物生存战略对我们人类来说也是很有参考价值的。只是有一点需要注意：这是生物种的战略，而非单个生物的战略。例如，所有海豚都擅长在大海里快速游泳，并没有不擅长游泳、需要在游泳之外的事情上下功夫的海豚。

在陆地上，跑得最快的哺乳动物是猎豹，能以100千米以上的时速奔跑。当然，猎豹的奔跑速度也存在个体差异，但并没有不擅长奔跑的猎豹。可在人类之中，有擅长游泳的人，也有压根不会游泳的人；有天生就能跑得很快的人，也有不管怎么练习都跑得很慢的人。

为什么呢？为什么只有人类存在能力的差异呢？

个性这种麻烦的东西

人类的能力存在差异，或许是因为我们都有不同的"个性"。个性可以很酷，也可以指具有不同能力的"天性"。例如，有更聪明的人，也有运动神经发达的人，每个人的容貌也各不相同。

个性意味着差异，有时也无法通过努力改变。不管怎么努力，也无法改变自己本来的容貌；有些事，不管怎么做也做不好；有时候，就是没办法喜欢上自己的性格。

虽说人人都想要平等，但的确存在个性这种差异。为什么我们没有生活在一个更加"平等"的世界呢？为什么要创造出"个性"这种东西，为什么我们会有个性呢？

苍耳的个性

有种杂草叫"苍耳"。苍耳带刺的果实会附着在衣服上，所以也被人们称为"黏黏虫"。有人把苍耳的果实粘在衣服上做装饰，或像飞镖一样投掷着玩耍。

这些带有尖刺的苍耳子并非种子，而是苍耳的果实，果实里有苍耳的种子。每个苍耳子里都有两个种子，而这两个种子各不相同。其中一个是能立刻发芽的急性子，另一个是怎么也不发芽的慢性子。

急性子和慢性子的种子，哪个更好呢？或许你会觉得早早发芽的那个更好，但也不一定。就算能快速发芽，但如果碰上了不适合生长的时期，也只是白费力气。

至于哪个更好，其实苍耳也没有答案。有时候急性子的种子进展更顺利，也有时候慢性子的种子更成功。于是，苍耳准备了两个种子。

自然界没有答案

面临选择时，我们人类往往会进行比较，寻求更好的那个。但很多时候并没有答案。

明明没有答案，人类却好像总是一副有答案的样子，说"这个好"或"那个不行"。其实只是自以为明白而已，并没有什么答案。很多时候，的确没有更好的那一个。

如果没有答案的话，该怎么办才好呢？很简单，可以像苍耳一样准备两个答案。不知道答案的话，可以准备很多个答案。

这便是生物的另一种生存战略，即"遗传多样性"。

蒲公英的花是黄色的

自然界的生物具有遗传多样性，可奇怪的是，许多物种内部似乎没有太大差异性。例如，虽然多少有些个体差异，但大象的鼻子都很长，没有鼻子短的大象；长颈鹿也是如此，没有"短颈鹿"；有的人跑得快，有的人跑得慢，但猎豹都跑得很快。为什么没有跑得慢的猎豹呢？

因为对猎豹而言，跑得快就是答案。当有答案的时候，生物便会朝着正确答案的方向进化。对猎豹来说，快速奔跑有利于追捕猎物；对大象来说，鼻子长是正确答案；长颈鹿的正确答案则是脖子长。有正确答案时，便不再需要正确答案以外的"个性"了。

那没有答案的时候该怎么办呢？如果不知道什么是对的或好的，生物会准备很多答案，也就是"很多个性"，即遗传多样性。

没有不重要的个性

人类也是一样。人都有两只眼睛，这意味着在眼睛数量这件事上，人类有了正确答案，便不需要"个性"的存在了。

但是，人的能力存在个性，脸有个性，性格也是。但生物不会形成没必要的个性，有个性就是有意义。有跑得快的人，也有跑得慢的人。这是因为在奔跑速度这件事情上，人类是没有正确答案的。

也许你会认为跑得快更好，但并非如此。生物的能力会保持平衡，如果某项能力特别突出，另一项能力就会变差。例如，腿越长，步伐就越大，有利于快速奔跑；但由于重心变高，身体变得不稳定，也容易出现摔跟头的情况。个子高便望得远，更容易发现天敌；但矮个儿又更容易隐藏在草丛中。鱼与熊掌不可兼得。如果不知道哪个好的话，生物的战略便是"都准备好"。

对人类来说，有跑得快的人，也有跑得慢的人，这是因为奔跑速度并没有那么重要，以至于跑得慢就没法生存。当然，跑得快是很棒的事，但除此之外，人类还有许多其他能力。人类不愿以牺牲其他能力的代价换取猎豹一般的奔跑速度，或许这就是人类的进化。

不过，除此之外，人类还有其他特点。

人会互相帮助

人类作为生物的长处在哪里呢？那就是虽然弱小，却互相帮助。考古学研究发掘了老人和腿部受伤的人的骨头。也就是说，我们的祖先照顾着无法参与狩猎和采集的老人和病人。

人类没有与其他生物相匹敌的力量，是一种力气小、跑得慢的弱小生物，却凭借集体的力量生存了下来。集体生活时，经验会变得很重要。经验丰富的老人和经历过危险的伤病者便能为其他成员提供智慧。当不同的人提出不同意见时，更丰富的想法也会随之产生。人类就这样在集思广益、世代相传的过程中不断发展。

自然界的法则是优胜劣汰。不过，至于什么是"优秀"，并没有绝对的答案，所以便有了多样性。年老和伤病个体的存活率往往更低，但在人类的世界中，他们也是"多样性"的一员，这就是人类的长处。

人类社会与生物世界有很大的不同，比如存在诸如"不能欺负弱者"或"不能互相伤害"的法律与道德。遗憾的是，回望历史，人类自相残杀的战争和弱者被凌虐的历史不断发生。但即便如此，人们也一直从心底相信这些是不好的，互相爱护、互相帮助才是人类本来的样子。

这绝非仅仅因为人类本来就是充满爱的生物，更是在漫长的人类历史中逐渐形成的结果。如果不这样做，人类就无法在自然界中生存下来。

　　虽然有觉得不太行的地方，但好的地方也有很多；虽然有时因为不好的地方感到绝望，但还是忍不住追求理想。人类，也是保持原样就好呀。

Chapter
06
你也是保持原样就好哦

猿与人的界线

"多样性"意味着事先准备很多种答案，这是生物在自然界的生存战略。对我们人类来说，多样性和个性也很重要。

但人类的智力有限度，因此会将自然界的复杂事物尽可能简单化后理解。我们在前文介绍过，人类最喜欢做的一件事就是划线区分。

例如，彩虹是从紫色到红色的渐变。但这样不够清晰，所以人类将彩虹划为七种颜色。这样一来，彩虹就更容易理解，也更容易被画下来。在没有任何界线的土地上，人们划定边界，设定市町村、都道府县、国与国的边界。比起"我是来自地球的生命"，"我是日本人，你是美国人"或"我住在东京，去过大阪旅行"之类的话会更容易理解。

区分是人类大脑为理解事物创造出来的机制。虽说人类由猿类进化而来，但并不存在一个古猿妈妈突然诞下人类婴儿的瞬间，猿类和人类之间其实并没有清晰的界线。所有生命体都来自共同的祖先LUCA[5]。这样说来，或许所有生命之间都没有界限，动物和植

5　LUCA，全称为Last Universal Common Ancestor，即所有物种在分化之前最后的共同祖先。LUCA生活在约35亿到40亿年前，可能是一个类似于现代细菌的单细胞生物，生活在海底热液喷口附近等极端环境中。这些环境能提供丰富的化学物质和能量等生命起源的条件。

物也是如此。

自然界没有分界，但人类很难理解"动物和植物没有界限"这样的说法。如果说"去生物园看了生物，回来后给生物浇水，又吃了生物"会很不方便，所以用"去动物园看长颈鹿，回来后给植物浇水，吃了鱼"这样的表达来进行区分。通过区分与分类，人类能更好地理解和处理事物。

人类最喜欢的东西

人类还喜欢其他事情，比如"比较"。不过，就算是动物也会比较。猴子如果拿到两个水果，会选择大的吃；也会比较两根树枝，从而选择跳到更近的那根树枝上。但是，如果不把两个水果放在一起，就很难比较；如果树枝很多，也不知道哪根距离最近。

为了更好地比较，人类有了了不起的发明，那就是"尺度"和"数字"。有了作为基准的尺度，相距很远的水果也能比较大小；用数字表示的话，各种各样的水果都能被比较。

尺度和数字非常便利。有了这两项发明，人类显著提高了理解万物的能力，并进一步发展文化和文明。对人类来说，尺度和数字已经是无法舍弃的工具。有了它们便可以理解万物，或者说，至少是认为自己理解了万物。

人类还想统一

人类社会是用界限区分、用尺度和数字进行比较而构建起来的。就这样，我们延续至今。但在另一方面，自然界的生物想要差异化。如果所有物种都一样，便都有灭绝的风险。不知道答案的话，就准备很多答案，这是生物的生存战略。所以，生物种努力与彼此保持不同。生物和机器人不同，自然界中没有完全相同的生物。

蔬菜是植物，所以萝卜有大小、粗细、长短的不同。但这对人类来说不够便捷，于是人类想要统一萝卜的大小。人类培育出同样大小的萝卜，装入同样大小的箱子，标上同样的价格出售。

生物追求多样性和差异，人类却追求均匀和统一。蔬菜由人类栽培和保护，很难面临灭绝。对蔬菜来说，或许人类的追求就是"答案"。因此，随着品种改良和栽培技术的发展，蔬菜逐渐变得"统一"。

然而，除了被人类栽培的蔬菜，还有别的生物在人类制定的框架内生活。其中之一就是人类。人类也是生物，追求差异与个性；但人类的大脑追求统一。多样性和个性很重要，但大脑更容易理解没有个性的事物。因此，人类的个性自此成了一件麻烦事。

无法违抗的基因

个性是怎么产生的呢？创造个性的是基因，基因来自父母。孩子的睡相会和父母很像；明明没有教过，孩子也能表现出和父母同样的举止动作；有时会因得知自己非常喜欢的东西是"爷爷曾经也很喜欢的"而感到震惊；一些以为自己独有的东西，也是从祖先那里继承下来的。

在这个世界上，有为了运动会拼命练习却还是倒数第一的人，也有根本没练习但天生擅长跑步的人；有拼命背诵却什么也记不住的人，也有"一不小心就记住了"的人。几乎都是基因使然。

基因无法违抗。我们没有错，一切都是从祖先那里继承下来的基因不好。让我们暂且将一切都怪在基因头上吧。如果跑得慢，就不要再挣扎；如果记不住，就不要再勉强。全部，都是基因的错。

即便如此，努力也不是徒劳

那么所有的努力都毫无意义了吗？当然不是。

基因是什么呢？就像冰箱里的食物。有在冰箱里放了卷心菜的人，也有没放卷心菜的人；有人塞满了冰箱，也有人的冰箱只装了一点点。但是，问题不在于冰箱里装了什么，而在于要做什么样的菜。

如果要做蛋糕或咖喱饭，就算冰箱里没有卷心菜，也没有任何问题。但如果要做铁板烧，就会感到苦恼吧，因为没有卷心菜就做不了铁板烧。不过，只是做不了铁板烧而已，做咖喱饭、蛋糕都不成问题。

当然，并不是说冰箱里的东西越多就越好。放太多的话，兴许什么都能做，但总会浪费一部分食材；东西太多，也会烦恼该做什么菜吧。如果冰箱里的东西是固定的，或许就不用烦恼了。因为再怎么努力，冰箱里的东西也不会增多。但事实并非如此。

实际上，如果不打开冰箱、试着做菜，谁也不知道冰箱里有什么。也许是在照着菜谱、准备食材时才意识到冰箱里的东西不够，也许是开始做菜之后才察觉。但是，如果不去做菜的话，就不会知道冰箱里有什么。

这便是我们在学校里学习、在生活中体验的原因。自己的冰箱里放着什么，能做什么、不能做什么菜呢？这就是学习各种知识的理由。

在学校里学到的东西，有我们喜欢的，也有讨厌的；有我们擅长、轻轻松松就能学会的，也有怎么努力也学不会的。但如果不尝试着去做，就永远不会知道。学习这件事，就是尝试着去看冰箱里的东西。

与基因的相处之道

如果知道自己不擅长什么，可以放弃吗？如果不擅长学习本身，可以不用再学习了吗？并非如此。意识到"不擅长学习"是件好事。有喜欢学习的人，也有很擅长学习的人，在短时间内就能理解和掌握知识。重点在于，如果认为自己不擅长学习，就不必和喜欢学习的人正面竞争。

可是，现在的学校都有入学考试，好像必须和他们决胜负。但我们不必和喜欢学习的人比拼在学习上投入的时间，也不必羡慕学得又快又好的人，而可以试着将学习看作体育运动。体育运动的有趣之处就在于弱队未必会输，弱队有自己的作战方法。

学习并不是为了通过入学考试，我们是在做一道菜。当我们来到世界上时，冰箱里有各种各样的食材。但是，也有冰箱里没有的东西，比如调料。糖、盐和胡椒等调料在桌子上。无论多么努力，也无法在冰箱里找到冰箱外的东西。比如，人类将多年以来搜集和积累的知识写成了教科书。但刚刚出生的婴儿不识字，也不知道什么英语单词和数学公式。对婴儿来说，教科书上的知识就全是冰箱外的东西。

做菜的时候，调料会发挥作用。比起只加糖和盐，有酱油和料酒的话，菜肴会更鲜美。有香料和香草的话，味道又会更上一层。那芝士粉和鱼露呢？也许不太常用，但有时也能派上用场，也是一些菜式的必备调料。

学习也是如此。有很多即使投入很多，却不常用到的知识。不过，即便如此，还是准备更多种类的调料比较好。即使调料不在手边，如果对调料的种类和摆放位置心中有数，也能在做菜时更得心应手。

在学习中，也有当时实在不明白或学不进去，但到后面会想再去学习的时候。而知道桌子上有芝士粉的人，可以比不清楚的人先找到它。学习这件事，就是如此。

只属于你的基因

不管再怎么讨厌，我们都和父母很像，也都从祖先那里继承了他们的基因。那么，基因究竟是什么呢？

即使和别人再相似，你的基因终究是属于你的。来到这个地球上的你，拥有独一无二的个性。我们每个人的脸都不一样，就算和父母或别人长得再像，也都不是一模一样。

尽管如此，全世界有几十亿人口，人类历史绵延数百万年。假如真能够满世界地找，把人类历史翻个底朝天，会有和我们一模一样的人吗？

我们的个性究竟是怎么产生的呢？

你成为你的概率

让我们来简单思考一下吧。人体的所有特征都由基因决定。每个人拥有约2.5万个基因，基因形成DNA并进一步构成染色体。人体有46条染色体，两两一对，共23对。在这23对染色体中，每对有1条来自父亲，1条来自母亲。可仅凭23对染色体，能产生多少种不同组合呢？

$2^{23} \times 2^{23}$ 种。来自父母的染色体能产生超过70万亿种不同组合，而你正是这70万亿分之一。

如今，全球人口超过80亿，而单是父母两人染色体的排列组合，就能产生多出全世界人口1000倍的人口。不仅如此，来自父母双方的染色体两两组合时，这两条染色体还会产生部分交换。这样的话，排列组合的可能就更是无穷多了。

当两条染色体组合时，DNA也会发生改变。也就是说，你的基因并非只是父母基因的简单组合，只属于你的原创基因出现了。

世界上独一无二的存在

正如你是通过基因的排列组合、以极低的概率诞生的一样，你的父母、爷爷奶奶、祖辈都是这样独一无二的存在。一个又一个独特的存在，经过一次又一次概率极低的排列组合之后，有了你。这是一件只能说是奇迹的事情。

这样诞生在这个世界的你，即使没中过彩票也不用遗憾。你已经是连中彩票大奖的超幸运得主了。有个词叫"稀有价值"，指数量少的事物因稀缺而富有价值。"全世界唯一一个"便极为珍贵，而你正是这世界上独一无二的存在。岂止是这个世界，哪怕是在广袤的宇宙中，你也是独一无二的存在，从你出生的那一刻起就是这样。

不管再怎么努力，你也无法成为自己之外的人。你是你自己，并只能成为你自己。如果是这样的话，你能做的便只有磨炼自己、使自己不断接近自己的样子。这是什么意思呢？你的价值就在于你是你自己。

所以，不管发生什么，不管被怎样评价，不管有多讨厌自己，做自己就好了呀。

最后，你也是保持原样就好。

结语

写这本书时，我意识到了一件事，那就是这个世界上并没有无聊的生物。或许，觉得其他生物无聊的人类才是最无聊的。在地球约38亿年的历史中，生物完成了各种各样的进化。如今在我们眼前的生物都是进化的最高形态。那样的生物不可能无聊。

但是，我发现有一种生物很无聊，那就是"人"。人不像狮子那般强大，也不能像马一样飞驰，真是无聊的生物。不仅如此，人们互相争吵、憎恶，甚至发动战争。人们贪婪、自私、肆意破坏地球环境。在其他生物看来，人类才是既无用又无聊的存在吧。为什么人会存在呀？

大象完成了鼻子的进化，成为鼻子很长的生物；长颈鹿完成了脖子的进化，是脖子很长的生物。那人类呢？"人是智力发达的动物"，我们一直是这么认为的。

但似乎并非如此。除了被称为智人的我们，还有各种各样的人类，比如存活至约4万年前的尼安德特人。尼安德特人有着不同于智人的进化历程，拥有更出色的体力，或许在智力上也更胜一筹。

不过，尼安德特人已经灭绝，只有智人存活了下来。为什么呢？我认为答案在于：智人是弱小但互相帮助的存在。智人是非常弱小的生物，所以总是互相帮助、共同克服困难。为了相互帮助，智人发明了语言；为了相互交流与分享，又发明了工具。这便是智人幸存至今的原因。

语言和工具是用来互帮互助的媒介，并非用来攻击的武器。但在今天，它们成了武器。我们在不知不觉间忘记了自己的弱小，开始扮演强大的生物。于是，我们发动战争、杀戮同胞、破坏环境、夺走很多生物的生命。可我们是弱小的存在。因为弱小，所以人互相帮助，才可以坚强地活下去；或许正因为这样，我们才是很棒的存在。

　　所以，不用太逞强。即使弱小，也没关系，做自己就好；也请不要害怕向他人寻求帮助。最后，我想在这里向为本书日文版的出版倾注心力的吉泽麻衣子表示感谢。

产品经理：张宝荷
视觉统筹：马仕睿 @typo_d
印制统筹：赵路江
美术编辑：程 阁
版权统筹：李晓苏
营销统筹：好同学

豆瓣 / 微博 / 小红书 / 公众号
搜索「轻读文库」

mail@qingduwenku.com

树懒
为什么
懒?

ナマケ
モノは、
なぜ
怠ける
のか?

[日] 稲垣栄洋 / 著
[日] 安賀裕子 / 绘
杨柳岸 / 译

贵阳出版集团
贵州人民出版社